Cette édition par: Chantecler, Belgique-France
D-MMII-0001-278
Imprimé dans l'UE

LES PLUS JOLIES
CHANSONS ENFANTINES

Chantecler

Table des matières

Trois jeunes tambours

1. Trois jeunes tam - bours ____ s'en re - ve - nant de guer - re,

trois jeunes tam - bours ____ s'en re - ve - nant de guerr' et ri et

ran, ran pa ta plan ____ s'en re - ve - nant de guer - re.

2. Le plus jeune a dans sa bouche une rose (bis)
Et ri et ran, ran pa ta plan
Dans sa bouche une rose.

3. Fille du roi était à sa fenêtre (bis)
Et ri et ran, ran pa ta plan
Était à sa fenêtre.

4. Joli tambour, donne-moi donc ta rose (bis)
Et ri et ran, ran pa ta plan
Donne-moi donc ta rose.

5. Fille du roi, donne-moi donc ton cœur (bis)
Et ri et ran, ran pa ta plan
Donne-moi donc ton cœur.

6. Joli tambour, demande-le à mon père ! (bis)
Et ri et ran, ran pa ta plan
Demande-le à mon père.

Petit papa

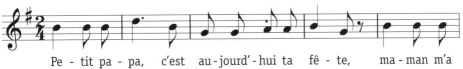

Pe - tit pa - pa, c'est au-jourd'-hui ta fê - te, ma - man m'a

dit que tu n'é-tais pas là. Voi - ci des fleurs pour cou -

- ron - ner ta tê - te, un doux bai - ser pour con - so - ler ton

cœur. Pe - tit pa - pa. Pe - tit pa - pa. ____

chanson 2

Trois poules

Fin

Quand trois pou - les vont aux champs, la pre - miè - re va de - vant,

la deu - xième suit la pre - miè - re, la troi - siè - me va der - riè - re.

Mon beau sapin

Mon beau sa - pin, roi des fo - rêts, que j'ai - me ta ver -

- du - re ! Quand par l'hi - ver bois et gué - rets sont

dé - pouil - lés de leurs at - traits, mon beau sa - pin, roi

des fo - rêts, tu gar - des ta pa - ru - re.

Il pleut bergère

1. Il pleut, il pleut ber - gè - re,   ren - tre tes blancs mou - tons,

al - lons à ma chau - miè - re,   ber - gè - re vite al - lons. ____

J'en - tends sous le feuil - la - ge   l'eau qui coule à grand bruit, ____

voi - ci   ve - nir l'o - ra - ge,   voi - ci l'é - clair qui luit.

(suite à la page suivante)

2. Entends-tu le tonnerre, qui roule en approchant,
Prends un abri bergère, à ma droite en marchant.
Je vois notre cabane, et tiens voici venir,
Ma mère et ma sœur Anne qui vont l'étable ouvrir.

3. Bonsoir, bonsoir, ma mère, ma sœur Anne bonsoir,
J'amène ma bergère, près de vous pour ce soir.
Viens te sécher ma mie, auprès de nos tisons,
Sœur, fais-lui compagnie, entrez petits moutons.

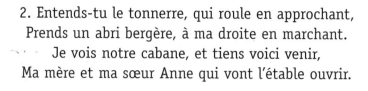

Gugusse

C'est Gu - gusse a - vec son vio - lon   qui fait dan - ser les

fil - les, qui fait dan - ser les fil - les. C'est Gu - gusse a - vec son vio -

- lon   qui fait dan - ser les filles   et   les   gar - çons.

chanson 4

Ah ! vous dirai-je maman

Ah ! vous di - rai - je, ma - man ce qui cau - se mon tour - ment ? Pa - pa

veut que je rai - son - ne comm' u - ne gran-de per - son - ne. Moi je

dis que les bon - bons va - lent mieux que la rai - son.

Mon âne

Mon â - ne, mon â - ne a bien mal à sa tête,

ma - dam' lui a fait fai - re un bon - net pour sa fête,

et des sou - liers li - las la la et des sou - liers li - las.

chanson 5

Nous n'irons plus au bois

Nous n'i - rons plus au bois, les lau - riers sont cou - pés,
la bel - le que voi - là, la lais'-rons - nous dan -

- ser ? ___ En - trez dans la dan - se, voy - ez comme on dan - se.

Sau - tez, dan - sez ! Em - bras - sez qui vous vou - drez.

Marianne, Marianneke

Où al - lez - vous comm' ça, Ma - ri - an - ne, Ma - rian - ne - ke,

où al - lez - vous comm' ça, Ma - rian - ne - ke ?

Le roi a fait battre tambour

1. Le roi a fait bat-tre tam - bour pour voir tou -

- tes ses da - mes. Et la pre - miè - re qu'il a

vue lui a ra - vi son â - me.

2. Marquis, dis-moi, la connais-tu ? (bis)
Qui est cette jolie dame ?
Le marquis lui a répondu :
Sire roi, c'est ma femme.

3. Marquis, tu es plus heureux qu' moi (bis)
D'avoir femme si belle.
Si tu voulais me la donner
Je me chargerais d'elle.

4. Sire, si vous n'étiez le roi (bis)
J'en tirerais vengeance.
Mais puisque vous êtes le roi
À votre obéissance.

5. Marquis, ne te fâche donc pas (bis)
T'auras ta récompense.
Je te ferai dans mes armées
Beau maréchal de France.

chanson 6

Frère Jacques

Frè - re   Jac - ques, Frè - re   Jac - ques, dor - mez - vous ?

dor - mez - vous ?   Son - nez les ma - ti - nes,   son - nez les ma -

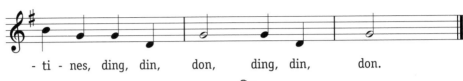

- ti - nes, ding, din,   don,   ding, din,   don.

La serpette

Bu - vons un   coup ma ser - pette est per - due,   mais   le

man - che, mais   le   man - che,   est re - ve - nu.

Recommence ensuite avec les voyelles de l'alphabet (a, e, i, o, u) :
bavasakamasarpatapardamalamachamalamacha...
bevesekemeserpeteperde...
bivisikimisirpidipirdi...
...

Alouette, gentille alouette

Refrain

A - lou - et - te, gen - tille a - lou - et - te,

Fin

a - lou - et - te je te plu - me - rai.

Couplet

1. Je te plu - me - rai la tête, je te plu - me - rai la tête.

Et la tête, et la tête, a - lou - ette, a - lou - ette, ah !

2. Je te plumerai le bec (bis)
Et la tête (bis)
Alouette (bis) Ah !

3. Je te plumerai les yeux (bis)
Et le bec (bis)
Et la tête (bis)
Alouette (bis) Ah !

4. Je te plumerai le cou (bis)...
Je te plumerai les ailes (bis)...
Je te plumerai les pattes (bis)...
Je te plumerai la queue (bis)...
Je te plumerai le dos (bis)...

Une souris verte

U - ne sou - ris ver - te qui cou - rait dans l'her - be.

Je l'at - tra - pe par la queue, je la montre à ces mes - sieurs.

Ces mes - sieurs me di - sent : Trem - pez - la dans l'hui - le,

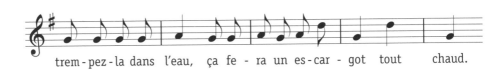

trem - pez - la dans l'eau, ça fe - ra un es - car - got tout chaud.

Je la mets dans un ti - roir, elle me dit : Il fait trop noir.

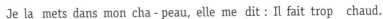

Je la mets dans mon cha - peau, elle me dit : Il fait trop chaud.

Arlequin dans sa boutique

chanson 7

1. Ar - le - quin dans sa bou - ti - que sur les mar - ches du pa - lais,
2. Il a de bel - les o - ran - ges pour tous les pe - tits en - fants,

il en - sei - gne la mu - si - que à tous ses pe - tits va - lets.
et de si beaux por - traits d'an - ges qu'on di - rait qu'ils sont vi - vants.

Oui mon - sieur Po,   oui mon - sieur Li,   oui mon - sieur Chi,

oui mon - sieur Nelle :   oui mon - sieur Po - li - chi - nelle.

chanson 8

J'ai du bon tabac

J'ai du bon ta - bac dans ma ta - ba - tiè - re, j'ai du bon ta -

- bac tu n'en au - ras pas. J'en ai du fin et du bien râ - pé mais ce n'est

pas pour ton fi - chu nez. J'ai du bon ta - bac dans ma ta - ba -

- tiè - re, j'ai du bon ta - bac tu n'en au - ras pas. ___

Joyeux anniversaire

Jo - yeux an - ni - ver - saire, jo - yeux an - ni - ver - saire,

jo - yeux an - ni - ver - sai - re, jo - yeux an - ni - ver - saire.

La barbichette

Je te tiens, tu me tiens, par la bar - bi - chet - te.

Le pre - mier de nous deux qui ri - ra au - ra une ta - pette.

Une poule sur un mur

U - ne pou - le sur un mur, qui pi - co - tait du pain

dur, pi - co - ti pi - co - ta, lèv' la queue et puis s'en va.

Les poissons sont assis

1. Tout au fond de la mer, les pois - sons sont as - sis,

les pois - sons sont as - sis, at - ten - dant pa - tiem - ment qu' les pê -

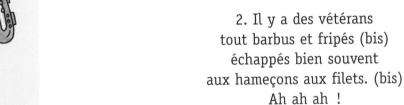

- cheurs soient par - tis qu' les pê - cheurs soient par - tis ah ah ah. _____

2. Il y a des vétérans
tout barbus et fripés (bis)
échappés bien souvent
aux hameçons aux filets. (bis)
Ah ah ah !

hanson 10

Un petit cochon

Un pe - tit co - chon,   pen - du au pla - fond,   ti - rez - lui la

queue,   il pon - dra des œufs, com - bien en   vou - lez - vous ?

J'aime la galette

J'ai - me la ga - let - te,   sa - vez - vous com - ment ? Quand elle est bien

faite a - vec du beurre de - dans. Tra la   la   la   la la la la   lè - re,

tra   la   la   la   la la la la la   la,   tra   la   la   la   la la la la

lè - re,   tra   la   la   la   la la la la   la.

 # Ainsi font les petites marionnettes

chanson 11

1. Ain - si font, font, font, les pe - ti - tes ma - rion - net - tes.

Ain - si font, font, font, trois p'tits tours et puis s'en vont.

2. Les poings aux côtés,
Marionnettes marionnettes,
Les poings aux côtés,
Marionnett' sautez, sautez.

3. La taille cambrée,
Marionnettes marionnettes,
La taille cambrée,
Marionnett' dansez, dansez.

4. Puis le front penché,
Marionnettes marionnettes,
Puis le front penché,
Marionnett' saluez, saluez.

Voilà du bon fromage

1. Ah ! Ma - dame, voi - là du bon fro - ma - ge ! Ce - lui - qui - l'a

fait il est de mon vil - la - ge. Voi - là du bon fro -

-mag' au lait ! Il est du pa - ys de ce - lui qui l'a fait.

2. Ah ! Madame,
La vache et son lait, ils sont de mon village...

3. Ah ! Madame,
Le pré qu'elle broutait, il est de mon village...

Aux marches du palais

chanson 12

1. Aux mar-ches du pa-lais, ___ aux mar-ches du pa-lais, ___ y'a

un' tant bel-le fil-le, lon la, y'a un' tant bel-le fil-le. ___

2. Elle a tant d'amoureux
Elle a tant d'amoureux
Qu'elle ne sait lequel prendre, lon la
Qu'elle ne sait lequel prendre.

3. C'est un petit cordonnier
C'est un petit cordonnier
Qu'a eu la préférence, lon la
Qu'a eu la préférence.

4. C'est en la l'y chaussant
C'est en la l'y chaussant
Qu'il lui fit sa demande, lon la
Qu'il lui fit sa demande.

5. La belle si tu voulais
La belle si tu voulais
Nous dormirions ensemble, lon la
Nous dormirions ensemble.

6. Dans un grand lit carré
Dans un grand lit carré
Couvert de taies blanches, lon la
Couvert de taies blanches.

7. Aux quatre coins du lit
Aux quatre coins du lit
Un bouquet de pervenches, lon la
Un bouquet de pervenches.

8. Au beau mitan du lit
Au beau mitan du lit
La rivière est profonde, lon la
La rivière est profonde.

9. Tous les chevaux du roi
Tous les chevaux du roi
Pourraient y boire ensemble, lon la
Pourraient y boire ensemble.

10. Nous y pourrions dormir
Nous y pourrions dormir
Jusqu'à la fin du monde, lon la
Jusqu'à la fin du monde.

La tour, prends garde !

La tour, prends gar - de, la tour, prends gar - de, de te lais - ser a - battre.

Pomme de reinette et pomme d'api

Pomme de rei - nette et pomme d'a - pi, ta - pis, ta - pis

rou - ge, pomme de rei - nette et pomme d'a - pi,

ta - pis, ta - pis gris. Ca - chez un poing der -

-rière votre dos ou vous au - rez un coup d'mar - teau !

C'est la mère Michel

1. C'est la mère Mi - chel qui a per - du son chat qui

crie par la fe - nêtre : Ah ! qui le lui ren - dra ? C'est

le père Lus - tu - cru qui lui a ré - pon - du : Al -

- lez la mère Mi - chel vot' chat n'est pas per - du. Sur l'air du

tra la la la. Sur l'air du tra la la la. Sur

l'air du tra de ri de ra et tra la la.

(suite à la page suivante)

2. C'est la mère Michel qui lui a demandé :
Mon chat n'est pas perdu,
Vous l'avez donc trouvé ?
C'est le père Lustucru qui lui a répondu :
Donnez une récompense,
Il vous sera rendu.
Sur l'air du tra la la la
Sur l'air du tra la la la
Sur l'air du tra de ri de ra et tra la la.

3. Et la mère Michel lui dit : C'est décidé
Rendez-le-moi mon chat,
Vous aurez un baiser.
Et le père Lustucru qui n'en a pas voulu
Lui dit : Pour un lapin,
Votre chat est vendu.
Sur l'air du tra la la la
Sur l'air du tra la la la
Sur l'air du tra de ri de ra et tra la la.

chanson 14

Cadet Rousselle

1. Ca - det Rous - selle a 3 mai - sons, Ca - det Rous - selle a 3 mai -

-sons, qui n'ont ni pou - tres ni che - vrons, qui n'ont ni pou - tres ni che -

-vrons. C'est pour lo - ger les hi - ron - del - les ; que di - rez -

-vous d'Ca - det Rous - sel - le ? Ah, ah, ah oui vrai -

-ment, Ca - det Rous - selle est bon en - fant.

2. Cadet Rousselle a trois habits (bis)
Deux jaunes et l'autre en papier gris (bis)
Il met celui-là quand il gèle,
Ou quand il pleut ou quand il grêle.
Ah, ah, ah oui vraiment, Cadet Rousselle est bon enfant.

3. Cadet Rousselle a trois garçons (bis)
L'un est voleur, l'autre est fripon (bis)
Le troisième est un peu ficelle,
Il ressemble à Cadet Rousselle.
Ah, ah, ah oui vraiment, Cadet Rousselle est bon enfant.

chanson 15

Il était un petit navire

1. Il é-tait un pe-tit na-vi-re, il é-tait un pe-tit na-

-vi-re, qui n'a-vait ja- ja- ja-mais na-vi-gué, qui n'a-vait

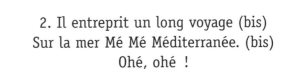

ja- ja- ja-mais na-vi-gué, o hé o hé.

2. Il entreprit un long voyage (bis)
Sur la mer Mé Mé Méditerranée. (bis)
Ohé, ohé !

3. Au bout de cinq à six semaines (bis)
Les vivres vin vin vinrent à manquer. (bis)
Ohé, ohé !

4. On tira à la courte paille (bis)
Pour savoir qui qui qui serait mangé. (bis)
Ohé, ohé !

5. Le sort tomba sur le plus jeune (bis)
C'est donc lui qui qui qui fut désigné. (bis)
Ohé, ohé !

6. Au même instant un grand miracle (bis)
Pour l'enfant fut fut fut réalisé. (bis)
Ohé, ohé !

7. Des p'tits poissons dans le navire (bis)
Sautèrent par par par plusieurs milliers. (bis)
Ohé, ohé !

8. On les prit, on les mit à frire (bis)
Le jeune mou mou mousse fut sauvé. (bis)
Ohé, ohé !

Dodo

Do - do   l'en - fant do,   l'en - fant dor - mi - ra bien   vi - te,

do - do   l'en - fant do,   l'en - fant dor - mi - ra bien - tôt

chanson 16

Sur le pont d'Avignon

Sur le pont d'A - vi - gnon, l'on y dan - se, on y dan - se.

Sur le pont d'A - vi - gnon, l'on y dan - se tous en rond.

1. Les mes - sieurs font comm' ça, et puis en - core comm' ça.
2. Et les dames font comm' ça, et puis en - core comm' ça.
3. Les sol - dats font comm' ça, et puis en - core comm' ça.

Marguerite

Si tu veux ____ fair' mon bon - heur, Mar - gue -

- ri - te, Mar - gue - ri - te, si tu veux ____ fair' mon bon -

-heur, Mar - gue - rite donn' - moi ton cœur.

Le vieux chalet

Là - haut sur la mon - ta - gne, l'é - tait un vieux cha - let.

Là - haut sur la mon - ta - gne, l'é - tait un vieux cha - let.

Murs   blancs, toit de bar - deaux ; de - vant la porte un vieux bou - leau.

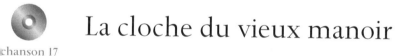

Là - haut sur la mon - ta - gne, l'é - tait un vieux cha - let.

La cloche du vieux manoir

chanson 17

C'est   la clo - che du vieux ma - noir, — du vieux ma - noir,

qui   son - ne le re - tour   du soir, le re - tour   du soir.

Boire un petit coup

1. Boir' un pe-tit coup c'est a-gré-a - ble, boir' un pe-tit coup,

c'est doux. Mais il ne faut pas rou - ler des-sous la ta - ble.

Boir' un pe - tit coup c'est a - gré - a - a - ble,

boir' un pe - tit coup, c'est doux.

2. J'aime le jambon et la saucisse,
J'aime le jambon, c'est bon !
Mais j'aime encore mieux
Le lait de ma nourrice,
J'aime le jambon et la saucisse,
J'aime le jambon, c'est bon.

Maman, les p'tits bateaux

Ma - man, les p'tits ba - teaux qui vont sur

l'eau, ont - ils des jam - bes ? Mais oui, mon gros bê -

- ta, s'ils n'en a - vaient pas, ils march'- raient pas.

Mes petits lapins

Mes pe - tits la - pins ont bien du cha - grin,

ils ne sau - tent plus dans le p'tit jar - din.

« Où as-tu mal petit lapin ?
J'ai mal au pied...
J'ai mal au genou...
J'ai mal à la tête...
J'ai mal au bras...
Guéris ! Guéris ! Guéris ! »

Saute, saute, saute
Petit lapin
Saute, saute, saute
Dans le jardin

Ne pleure pas Jeannette

1. Ne pleu - re pas Jean - net - te, tra la la la la

la la la la la la la. Ne pleu - re pas Jean - net - te,

nous te ma - ri - e - rons, nous te ma - ri - e - rons. _____

2. Avec le fils d'un prince, tra la la...
Avec le fils d'un prince
Ou celui d'un baron. (bis)

3. Je ne veux pas d'un prince, tra la la...
Je ne veux pas d'un prince
Encore moins d'un baron. (bis)

4. Je veux mon ami Pierre, tra la la...
Je veux mon ami Pierre
Celui qui est en prison. (bis)

5. Tu n'auras pas ton Pierre, tra la la...
Tu n'auras pas ton Pierre
Nous le pendouillerons. (bis)

6. Si vous pendouillez Pierre... pendouillez-moi avec. (bis)

7. Et l'on pendouilla Pierre ... et sa Jeannette avec. (bis)

chanson 20

Il était une bergère

1. Il é - tait une ber - gè - re et ron et ron pe - tit

pa - ta - pon. Il é - tait une ber - gè - re qui gar - dait ses mou -

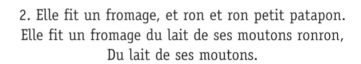

-tons ron ron, qui gar - dait ses mou - tons.

2. Elle fit un fromage, et ron et ron petit patapon.
Elle fit un fromage du lait de ses moutons ronron,
Du lait de ses moutons.

3. Le chat qui la regarde, et ron et ron petit patapon.
Le chat qui la regarde d'un petit air fripon ronron,
D'un petit air fripon.

4. Si tu y mets la patte, et ron et ron petit patapon.
Si tu y mets la patte, tu auras du bâton ronron,
Tu auras du bâton.

5. Il n'y mit pas la patte, et ron et ron petit patapon.
Il n'y mit pas la patte, il y mit le menton ronron,
Il y mit le menton.

6. La bergère en colère, et ron et ron petit patapon.
La bergère en colère tua son petit chaton ronron,
Tua son petit chaton.

Tombe, tombe la pluie

Tom - be, tom - be, tom - be la pluie,   tout le monde est   à   l'a - bri.

Y'a que mon p'tit   frè - re   qu'est sous la gout - tiè - re

pê - chant du   pois - son pour tou - te   la   mai - son.

chanson 21

Sur le pont de Nantes

1. Sur l'pont de Nantes un bal y est don - né.

Sur l'pont de Nantes un bal y est don - né.

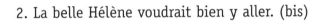

2. La belle Hélène voudrait bien y aller. (bis)

3. Sa mère dit : « Non, tu n'iras pas danser. » (bis)

4. Monte à sa chambre et se met à pleurer. (bis)

5. Son frère arrive dans un bateau doré. (bis)

6. Ma sœur, ma sœur, qu'as-tu donc à pleurer. (bis)

7. Maman n'veut pas que j'aille au bal danser. (bis)

8. Mets ta robe blanche et ta ceinture dorée. (bis)

9. Et nous irons tous deux au bal danser. (bis)

10. La première danse Hélène a bien dansé. (bis)

11. La deuxième danse le pont s'est écroulé. (bis)

12. Les cloches de Nantes se mirent à sonner. (bis)

13. La mère demande pour qui elles ont sonné. (bis)

14. C'est pour Hélène et votre fils aîné. (bis)

15. Voilà le sort des enfants obstinés. (bis)

Mon coq est mort

Mon coq est mort, mon coq est mort. Mon coq est mort, mon

coq est mort. Il ne di-ra plus co co di co co da,

il ne di-ra plus co co di co co da. Co co co co di co

di co da. Co co co co di co di co da.

Meunier, tu dors

Meu - nier, tu _ dors, ton mou-lin va trop vi - te. Meu - nier, tu _

dors, ton mou-lin va trop fort. Ton mou - lin, ton mou-lin va trop

vi - te, ton mou-lin, ton mou-lin va trop fort.

chanson 23

Vent frais

Canon

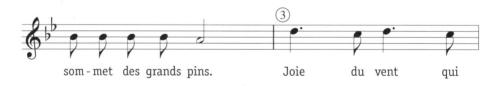

Vent frais, vent du ma-tin, vent souf-flant au

som - met des grands pins. Joie du vent qui

chante al - lons dans le grand vent.

Savez-vous planter les choux ?

1. Sa - vez - vous plan - ter les choux ? À la mo - de, à la mo - de.

Sa - vez - vous plan - ter les choux ? À la mo - de de chez nous.

2. On les plante avec le pied,
À la mode, à la mode.
On les plante avec le pied
À la mode de chez nous.

3. On les plante avec la main,
À la mode, à la mode.
On les plante avec la main
À la mode de chez nous.

4. On les plante avec le doigt,
À la mode, à la mode.
On les plante avec le doigt
À la mode de chez nous.

5. On les plante avec le nez,
À la mode, à la mode.
On les plante avec le nez
À la mode de chez nous.

6. On les plante avec la tête,
À la mode, à la mode.
On les plante avec la tête
À la mode de chez nous.

Petite poule grise

1. L'é - tait une p'tit' poule grise qu'al - lait pon - dre dans l'é -

- gli - se. Pon - dait un p'tit co -

- co pour l'en - fant s'il dort bien - tôt.

2. L'était une p'tite poule noire
Qu'allait pondre dans l'armoire.

3. L'était une p'tite poule blanche
Qu'allait pondre dans la grange.

4. L'était une p'tite poule poule rousse
Qu'allait pondre dans la mousse.

Le bon roi Dagobert

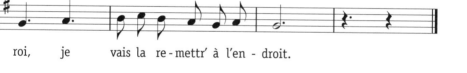

1. Le bon roi Da - go - bert a mis sa cu - lotte à l'en - vers. Le grand saint É - loi lui dit : Oh ! mon roi, vo - tre ma - jes - té est mal cu - lot - tée. C'est vrai, lui dit le roi, je vais la re - mettr' à l'en - droit.

2. Le bon roi Dagobert
Avait un grand sabre de fer.
Le grand saint Éloi lui dit :
« Oh ! mon roi,
Votre majesté pourrait se blesser. »
« C'est vrai, lui dit le roi,
Qu'on me donne un sabre de bois. »

3. Le bon roi Dagobert
Voulait embarquer sur la mer.
Le grand saint Éloi lui dit :
« Oh ! mon roi,
Votre majesté se fera noyer. »
« C'est vrai, lui dit le roi,
On pourra crier : le roi boit ! » (bis)

J'aime papa, j'aime maman

J'aime pa - pa, j'aime ma - man, mon p'tit chat, mon p'tit

chien, mon p'tit frè - re. J'aime pa - pa, j'aime ma -

-man, mon p'tit chat, mon p'tit chien, et mon gros é - lé - phant.

Malbrough

1. Mal-brough s'en va t'en guer-re mi-ron-ton ton ton mi-ron-tai-ne,

Fin

Mal-brough s'en va t'en guer-re, ne sait quand re-vien-dra. ____

Ne sait quand re-vien-dra, ne sait quand re-vien-dra.

2. Il reviendra z'à Pâques, mironton ton ton mirontaine.
Il reviendra z'à Pâques ou à la trinité (ter).

3. La Trinité se passe, mironton ton ton mirontaine.
La Trinité se passe, Malbrough ne revient pas (ter).

4. Madame à sa tour monte, mironton ton ton mirontaine.
Madame à sa tour monte, si haut qu'elle peut monter (ter).

5. Elle voit venir son page, mironton ton ton mirontaine.
Elle voit venir son page, tout de noir habillé (ter).

6. Aux nouvelles que j'apporte, mironton ton ton mirontaine.
Aux nouvelles que j'apporte, vos beaux yeux vont pleurer (ter).

7. Madame, Malbrough est mort, mironton ton ton mirontaine.
Madame, Malbrough est mort, est mort et enterré (ter).

8. L'ai vu porter en terre, mironton ton ton mirontaine.
L'ai vu porter en terre par quatre z'officiers (ter).

9. Sur la plus haute branche, mironton ton ton mirontaine.
Sur la plus haute branche, un rossignol chantait (ter).

chanson 26

Dansons la capucine

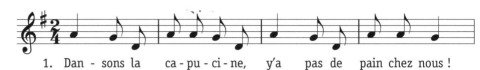

1. Dan - sons la ca - pu - ci - ne, y'a pas de pain chez nous !

Y'en a chez la voi - si - ne, mais ce n'est pas pour nous.

2. Dansons la capucine,
Y'a pas de vin chez nous !
Y'en a chez la voisine,
mais ce n'est pas pour nous.

3. Dansons la capucine,
Y'a du plaisir chez nous !
On pleure chez la voisine,
On rit toujours chez nous.

Gentil coquelicot

1. J'ai des-cen - du dans mon jar - din, j'ai des-cen - du dans mon jar-

- din, ____ pour y cueil - lir du ro-ma - rin.   Gen - til coqu'-li -

- cot, mes-da-mes,   gen - til coqu'-li - cot nou-veau !

2. Pour y cueillir du romarin (bis)
J'n'en avais pas cueilli trois brins.

3. J'n'en avais pas cueilli trois brins (bis)
Qu'un rossignol vint sur ma main.

4. Qu'un rossignol vint sur ma main (bis)
Il me dit trois mots en latin.

5. Il me dit trois mots en latin (bis)
Que les homm' ils ne valent rien.

6. Que les homm' ils ne valent rien (bis)
Et les garçons encor' bien moins.

7. Et les garçons encor' bien moins (bis)
Des dames il ne me dit rien.

8. Des dames il ne me dit rien (bis)
Mais des d'moisell' beaucoup de bien !

La sainte Maritaine

Sain - te Ma - ri - taine, taine, taine, va à la fon - taine, taine,

taine, va pui - ser de l'eau, l'eau, l'eau, dans un pe - tit

seau, seau, seau, le pied a bu - té, té, té,

le seau est tom - bé, bé, bé, l'eau s'est ren - ver - sée.

Fais dodo

Fais do-do, Co - las mon p'tit frè - re, fais do-do, t'au -

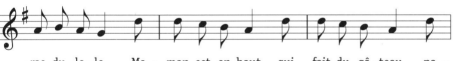

- ras du lo-lo. Ma - man est en haut qui fait du gâ-teau, pa -

- pa est en bas, fait du cho-co-lat. Fais do-do, Co -

- las mon p'tit frè - re, fais do-do, t'au - ras du lo-lo.

La volette

1. Un pe - tit oi - seau sur un o - ran - ger. Sur un o, à la vo-

- let - te, sur un o, à la vo - let - te, sur un o - ran - ger.

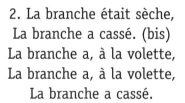

2. La branche était sèche,
La branche a cassé. (bis)
La branche a, à la volette,
La branche a, à la volette,
La branche a cassé.

3. Mon petit oiseau,
Où t'es-tu blessé ? (bis)
Où t'es-tu, à la volette,
Où t'es-tu, à la volette,
Où t'es-tu blessé ?

4. Je m'suis cassé l'aile
Et tordu le pied. (bis)
Et tordu, à la volette,
Et tordu, à la volette
Et tordu le pied.

Il était un petit homme

chanson 29

1. Il é - tait un pe - tit hom - me, pi - rouet - te, ca - ca -

-houè - te. Il é - tait un pe - tit hom - me, qui a - vait une drôl' de mai -

- son, qui a - vait une drôl' de mai - son.

2. Sa maison est en carton, pirouette, cacahouète.
Sa maison est en carton,
Les escaliers sont en papier. (bis)

3. Le facteur y est monté, pirouette, cacahouète.
Le facteur y est monté,
Il s'est cassé le bout du nez. (bis)

4. On lui a raccommodé, pirouette, cacahouète.
On lui a raccommodé,
Avec un beau fil doré. (bis)

5. Le beau fil s'est cassé, pirouette, cacahouète.
Le beau fil s'est cassé,
Le bout du nez s'est envolé. (bis)

6. Un avion à réaction, pirouette, cacahouète.
Un avion à réaction
A rattrapé le bout du nez. (bis)

Les champignons

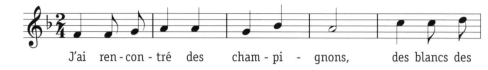

J'ai ren - con - tré des   cham - pi - gnons,   des blancs des

jaunes et   des o - ran - ge.   J'ai ren - con - tré des

cham - pi - gnons,   qui pous - saient sur le   frais ga - zon.

À la claire fontaine

1. À la clai-re fon-tai-ne, m'en al-lant pro-me-ner, j'ai

trou-vé l'eau si bel-le que je m'y suis bai-gné. Il

y'a long-temps que je t'ai-me, ja - mais je ne t'ou-blie - rai.

2. À la feuille d'un chêne
Je me suis essuyé
Sur la plus haute branche
Un rossignol chantait.

3. Chante rossignol chante
Toi qui as le cœur gai
Tu as le cœur à rire
Moi je l'ai à pleurer.

4. J'ai perdu mon amie
Sans l'avoir mérité
Pour un bouton de roses
Que je lui refusais.

5. Je voudrais que la rose
Fût encore au rosier
Et que ma douce amie
Fût encore à m'aimer.

Dimanche matin

Di - manche ma - tin, l'emp' - reur, sa fem' et le p'tit

prin - ce, sont ve -nus chez moi pour me ser -rer la

pin - ce. Com' j'é -tais pas là, le p'tit prince a dit :

Puis- que c'est ain - si nous re - vien - drons lun - di.

Au clair de la lune

Au clair de la lu-ne, mon a-mi Pier-rot, prê-te-moi ta plu-me,

pour é-crire un mot. Ma chan-delle est mor-te, je n'ai plus de

feu, ou-vre-moi ta por - te, pour l'a-mour de Dieu.

Il court, le furet

Il court, il court, le fu - ret, le fu - ret du bois mes - dames.

Il court, il court le fu - ret, le fu - ret du bois jo - li.

Il est pas-sé par i - ci, il re - pas-se - ra par là.

Allongeons la jambe

1. Ma poul' n'a plus qu'vingt-neuf pous - sins. Ma poul' n'a

plus qu'vingt-neuf pous - sins. Elle en a eu tren - te

al - lon-geons la jam - be ! Al - lon-geons la

jam - be, la jam - be car la route est lon - gue !

Ma poule n'a plus qu'vingt-huit poussins
Elle en a eu trente
Allongeons la jambe

...

Ma poule n'a plus qu'un seul poussin.
Ma poule n'a plus aucun poussin.

Index